卧室里来了一个新玩具，
他的名字叫小憨。
他小小的，软软的，绒绒的，
身上穿着件条纹衣服。
他不会叫，
不会倒立，
也不会摇尾巴……
可怜的小憨不知道自己到底会做什么。

但其他玩具相信有些事情小憨一定能做，
他们决心帮小憨找出来。
结果——
真是让人感到意外！

——金　波

京权图字：01-2007-6053

图书在版编目(CIP)数据

小憨，抱抱！／（英）斯莫尔曼（Smallman, S.）文；（英）沃恩斯（Warnes, T.）图；金波审
译. — 北京：外语教学与研究出版社，2007.12（2013.5 重印）
（聪明豆绘本系列）
ISBN 978-7-5600-7153-4

Ⅰ. 小… Ⅱ. ①斯… ②沃… ③金… Ⅲ. 图画故事—美国—现代 Ⅳ. I712.85

中国版本图书馆 CIP 数据核字（2007）第 204549 号

出 版 人：蔡剑峰
责任编辑：姬华颖
封面设计：蔡 曼
出版发行：外语教学与研究出版社
社　　址：北京市西三环北路 19 号（100089）
网　　址：http://www.fltrp.com
印　　刷：北京尚唐印刷包装有限公司
开　　本：889×1194　1/16
印　　张：2
版　　次：2008 年 1 月第 1 版　2013 年 5 月第 12 次印刷
书　　号：ISBN 978-7-5600-7153-4
定　　价：14.90 元
＊　　＊　　＊
购书咨询：(010)88819929　　电子邮箱：club@fltrp.com
如有印刷、装订质量问题，请与出版社联系
联系电话：(010)61207896　　电子邮箱：zhijian@fltrp.com
制售盗版必究 举报查实奖励
版权保护办公室举报电话：(010)88817519
物料号：171530001

聪明豆绘本系列

小憨，抱抱！

史蒂夫·斯莫尔曼(英)文
蒂姆·沃恩斯(英)图

金波 审译

外语教学与研究出版社
北京

卧室里来了一个新玩具，
他小小的，软软的，绒绒的，
柔软的身体上穿着一件条纹
衣服。他的名字叫小憨。

"你好！"老鼠米莉热情地和他打招呼，"你是种什么玩具呀？"

小憨想了半天，说："就是我这种吧。"

玩具熊艾德问："那你会做什么呢？"

小憨又想了半天，说："做好事吧，不过，是什么样的好事，我还不清楚。"

其他玩具说："我们来帮你搞清楚！"

吱吱！
吱吱！

米莉说："你长得有点儿像
老鼠。那你会不会像我这样吱
吱叫？"
吱吱！吱吱！

6

小憨试了试，米莉过来帮帮忙。可是，小憨不会吱吱叫。

艾德说："你长得有点儿像玩具熊，那你会不会像我这样倒立起来，然后慢慢发出嗷——嗷——的叫声？"

小憨试了试，艾德过来帮帮忙。可是，小憨不会倒立，也不会"嗷——嗷——"地叫。

"咱们俩的尾巴长得有点儿像。"小狗皮皮说，"那你会不会像我这样摇尾巴呢？"

左摆、右摆！左摆、右摆！

左摆、右摆！

左摆、右摆！

小憨试了试。但是，他不会左右摆，只会前后晃……

最后，扑通一下摔倒了。

这时，又走过来一个玩具，她是撒尿娃娃小叮咚。

　　"你会不会像我这样尿尿呀？"说着，叮咚！叮咚！她的身下就出现了一小滩水。

哦，这可把小憨羡慕坏了。他试啊，
试啊，试啊……可是，小憨不会尿尿。

小憨累了。他软塌塌地坐在地上，脑子里只有一个想法："我肯定是那种什么都不会做的玩具。"小憨很难过。

但是，其他玩具相信有些事情小憨一定能做。

"我知道了！"袋鼠波波跳过来，兴奋地叫道，"你看看你的肚子！"

"我的肚子怎么了？"

"你肚子上的条纹很像大黄蜂。大黄蜂会做什么呢？"

"是会嗡嗡叫吗？"小憨问。

波波说："不对，是会飞！"

其他玩具觉得波波说的很有道理。

米莉和波波把小憨拉到床上，其他玩具对小憨大声喊："你准备好了，就往下跳！"

　　可是，小憨始终也没准备好。床太高了，离地那么远。他的双腿发抖，肚皮打颤。小憨大叫起来："我不是大黄蜂！我不会飞！"

波波决定帮帮小憨，"你先学我这样，跳起来。"嘣！嘣！

米莉也跟着跳起来。只见他们俩一上一下，一上一下，越跳越高。

嘣！

嘣！

"小憨，你看！我飞起来喽！"米莉吱吱叫着。可是……

19

嘣！嘭！吱吱！米莉一头栽到了床下，摔在地毯上，动不了了。

"米莉，别怕，我来了！"
小憨顺着被子快速地滑下来，
轻轻地落在地上。

21

他搂住米莉，紧紧地抱着她。

小憨的肚子好软、好舒服，米莉一下就感觉好多了，但她没有动，她要确定一下自己的感觉。

"谢谢你，小憨！"米莉舒了一口气，"你给我的抱抱是最棒的！"

"抱抱！"小憨叫起来，"这就是我会做的呀！谁还想要抱抱？"

玩具们呼啦一下都过来了，他们把小憨围在中间。

虽然，小憨还是不知道自己到底是一种什么玩具，不过，有一点他很确定，那就是——他真的很特别！

独特小憨，温暖抱抱！

这是一本很特别的图画书。翻开前蝴蝶页，大片大片的蓝映入眼帘，引人遐想，也让人觉得好奇。故事的开始，镜头拉远了，那大片的蓝浓缩成了一个礼品盒。盒子旁，一个可爱的小东西睁着一双乌溜溜的眼睛，仿佛在想：等待我的是一个什么样的世界？

小东西叫小憨，他很幸运，来到了一个充满友情和爱的玩具世界。可爱的老鼠米莉、憨厚的玩具熊艾德、调皮的撒尿娃娃小叮咚、机灵的袋鼠波波……他们热情活泼，和小憨很快成为了好朋友。这些朋友个个本事了得，与他们相比，小憨显得笨笨的，连自己是什么、会做什么都不清楚。

为了帮助小憨，朋友们积极献计献策。他们让小憨模仿老鼠叫，模仿玩具熊倒立，模仿撒尿娃娃尿尿，模仿大黄蜂飞……可是，试来试去都没有成功。为什么？原因很简单，因为他们都让小憨模仿自己，并没有去发现小憨真正的特点——这种做法不正影射出很多父母的影子吗？他们常常拿自家的孩子和别人家的孩子比，而且总拿自家孩子的短处跟别人家孩子的长处比。这样比来比去，只会打击孩子的自信心，让孩子跟小憨一样身心疲惫。

幸好，小憨很聪明。从老鼠米莉对他的感谢和赞美中，他发现了自己独特的优点——给人最温暖的抱抱！这个结果让人意外，更让人热泪盈眶。在这个竞争越来越激烈的社会，还有什么比抱抱更能拉进人与人之间的距离呢？听说，近几年国内外都有热心人组织抱抱团，目的就是倡导人们相互给予温暖的拥抱，这似乎也跟这个故事有些相似。懂得抱抱的孩子，将来一定能更好地融入这个社会，也给这个社会带来丝丝温暖。

相信读完这本书，父母和孩子的心情都久久不能平静。孩子的心是暖暖的，他会撒娇地要求："抱抱！"父母的心是软软的，"我爱你，宝贝，因为你很特别！"作为父母，不仅要给孩子更多的尊重和信任，还要用爱去发现、去培养孩子独特的优点！